D0175088

Mes parents sont Gentils Mais...

TELLEMENT PARESSEUX !

Catalogage avant publication de Bibliothèque et Archives nationales du Québec et Bibliothèque et Archives Canada

Mercier, Johanne

Mes parents sont gentils mais... tellement paresseux!

(Mes parents sont gentils mais... ; 12)
Pour les jeunes de 10 ans et plus.

ISBN 978-2-89591-096-1

I. Rousseau, May, 1957- . II. Titre. III. Collection: Mes parents sont gentils mais... ; 12.

PS8576.E687M47 2010   jC843'.54   C2009-942730-3
PS9576.E687M47 2010

Correction et révision: Annie Pronovost

Tous droits réservés
Dépôts légaux: 1er trimestre 2010
Bibliothèque nationale du Québec
Bibliothèque nationale du Canada

ISBN: 978-2-89591-096-1

© 2010 Les éditions FouLire inc.
4339, rue des Bécassines
Québec (Québec) G1G 1V5
CANADA
Téléphone: 418 628-4029
Sans frais depuis l'Amérique du Nord: 1 877 628-4029
Télécopie: 418 628-4801
info@foulire.com

Les éditions FouLire reconnaissent l'aide financière du gouvernement du Canada par l'entremise du Programme d'aide au développement de l'industrie de l'édition (PADIÉ) pour leurs activités d'édition. Elles remercient la Société de développement des entreprises culturelles du Québec (SODEC) pour son aide à l'édition et à la promotion.

Gouvernement du Québec – Programme de crédit d'impôt pour l'édition de livres– gestion SODEC.

Les éditions FouLire remercient également le Conseil des Arts du Canada de l'aide accordée à leur programme de publication.

IMPRIMÉ AU CANADA/PRINTED IN CANADA

JOHANNE MERCIER

Mes parents sont gentils mais...

TELLEMENT PARESSEUX !

Illustrations
May Rousseau

Roman

À mes deux fistons, évidemment…

Prologue

Ils sont partout. Dans les moindres recoins de chaque ville, de chaque province, de chaque pays du monde entier, il y a des parents. Et parmi ces millions de milliers de parents sur terre, il fallait que je tombe sur eux. Je n'ai pas eu le choix. Remarquez, ils ne m'ont pas choisi non plus. Un pur hasard, tout ça.

Un coup de dés. La famille, c'est un peu comme une partie de Monopoly, mais sans la possibilité de faire des échanges.

Pour bien vous faire comprendre le drame que j'ai vécu avec mes parents, moi, Charles-Étienne Beaulieu, je dois vous révéler une partie de mon enfance. Rassurez-vous, je ne raconterai pas tout. Ce serait insupportable. Trop triste. Trop sombre. Vous diriez : « Pauvre petit Charles, ce qu'il a pu endurer, ce n'est pas une vie ! » Et vous auriez raison. Et je ferais pitié. Et ce ne serait plus jamais pareil entre nous. Je vais donc m'en tenir à une seule année. Celle où j'ai compris à quel point mes parents étaient différents des autres parents.

Il y a de cela presque dix ans.

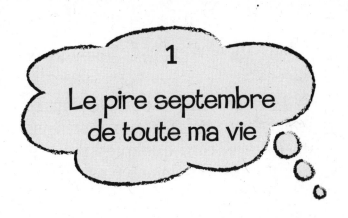

1
Le pire septembre de toute ma vie

J'avais cinq ans. J'étais tout petit et surtout naïf. J'avais passé les cinq premières années de ma vie avec mes parents à la maison, à jouer, courir, manger, dormir, grandir. À être heureux tranquillement. Je n'avais jamais connu le moindre service de garde. Seulement une gardienne plutôt gentille qui venait parfois chez moi, le samedi soir, quand ma mère mettait sa robe chic et mon père, une cravate. Bref, jusqu'à l'âge de cinq ans, ma vie était sans histoire. Ma maison, un nid douillet. Mes parents, mes idoles.

Mais du jour au lendemain, tout a basculé.

Un matin, sans me consulter, sans se demander si j'étais prêt ou si je préférais attendre encore quelques années, mes parents ont planifié pour moi un événement qui n'était absolument pas prévu dans mon horaire de petit garçon. Et même si j'ai pleuré jour et nuit sans arrêt les quatre premières semaines, y compris les samedis et les dimanches, ils n'ont pas changé d'avis. Ils m'ont emprisonné à la maternelle.

Le cauchemar de ma vie.

À l'époque, je paniquais face à tout ce qui était nouveau. Et comme, à cinq ans, la nouveauté se cache à peu près partout, loin de la maison, j'étais dans un état de frayeur permanente. Dans la classe, je subissais les pires tortures. L'une d'elles, sans doute la pire, était la séance de tapis brun. L'enseignante, qui s'appelait Claire, et qu'on appelait madame Claire, avait la très mauvaise habitude de nous rassembler tous les matins sur l'espèce de carpette poussiéreuse pour nous poser des tas de questions.

Elle voulait toujours tout savoir de nous, de notre vie, de ce qu'on aimait, des activités qu'on avait faites la veille et de ce qu'on comptait faire le lendemain. J'étais tombé sur une enseignante indiscrète. Là non plus, on ne choisit pas. Vous en savez sans doute quelque chose.

J'aimais bien discuter tranquillement avec mon ami Max en construisant des tours géantes de blocs Lego, mais je détestais prendre la parole devant tout le monde. J'étais trop timide ou trop nerveux ou un mélange des deux. Le même drame se répétait chaque matin: je rentrais en classe, je déposais ma collation dans mon petit casier, j'allais rejoindre les autres sur la carpette et madame Claire posait sa question piège. Aussitôt, mon cœur battait à grands coups. Je voulais être ailleurs. N'importe où. Le plus loin possible du tapis.

Comme je ne pouvais jamais échapper à la torture matinale, j'avais fini par développer deux importantes stratégies. Quand venait mon tour de parler, soit je m'empressais de répéter textuellement la réponse qu'avait formulée mon voisin, soit j'inventais carrément n'importe quoi pour me débarrasser de la question et pouvoir aller jouer tranquillement. Ce qui revenait à peu près au même, quand j'y repense. Habituellement, je m'en tirais plutôt bien. Madame Claire n'insistait pas. Elle ne tentait même pas de savoir si j'avais dit la vérité. C'était parfait pour moi.

Mais un matin, un triste matin gris, moche, sombre et venteux, c'est du moins le souvenir que j'en ai gardé, madame Claire nous a demandé de parler de nos parents. De leur métier. De ce qu'ils faisaient dans la vie. Pour mes 14 amis assis en cercle, la réponse se résumait en quelques mots. Les parents de Coralie vendaient des maisons, la mère de Max des assurances, celle de Flavie fabriquait des chocolats et le père de Thomas des armoires. Croyez-moi, c'est vraiment bien d'avoir des parents qui font des trucs dont personne ne pourrait jamais se passer dans la vie, comme des armoires ou des chocolats. Avec les miens, c'était un peu plus compliqué.

Ce matin-là, j'ai figé.

– Toi, Charles-Étienne? a demandé madame Claire. Que font tes parents?

Elle a répété la question trois fois. Comme si je ne l'avais pas entendue. Je n'étais pas sourd, j'étais paralysé. Personne ne m'avait prévenu qu'à la maternelle, les questions pouvaient être aussi compliquées. On m'avait vaguement glissé un mot au sujet de la gouache, de la colle et des ciseaux. Je savais qu'il fallait faire des tas d'activités complexes, comme des boucles avec nos lacets, retenir des comptines par cœur, retrouver son casier, ne pas perdre sa boîte à lunch et monter à bord d'un autobus jaune sans trembler. Mais personne ne m'avait prévenu qu'il faudrait que je parle de mes parents devant tout le monde.

Je n'étais pas prêt pour l'école, finalement.

– Ta maman et ton papa, Charles? Ils font quoi dans la vie? insistait toujours madame Claire.

Mes 14 amis trouvaient que je prenais trop de temps. Je le voyais bien. Max avait la bougeotte, Flavie reluquait le coin de poupées, Thomas était déjà debout. Les autres avaient tout plein de projets avec la pâte à modeler, moi, j'avais celui d'abandonner définitivement les études.

– Charles-Étienne?

Elles sont vraiment tenaces, les enseignantes. Avec les années, j'ai compris que c'est une de leurs principales qualités. Sinon elles ne seraient pas des enseignantes; elles feraient des armoires ou des chocolats.

– Charles... c'est long!

Quoi dire? Affirmer, comme l'avait fait mon voisin, que mon père était pompier? Non. Cette fois, je ne pouvais pas. Cela risquait de m'occasionner des problèmes. Les pompiers se connaissaient sûrement tous et puis, un jour ou l'autre, madame Claire finirait par rencontrer mes parents, elle demanderait à mon père de lui raconter le dernier incendie et je serais pris au piège. Il fallait que je pense vite. Très vite. Mais ce matin-là, j'étais encore plus nerveux que les autres matins. Je n'arrivais même pas à réfléchir. J'ai donc choisi de dire la vérité, tout simplement. J'ai regardé madame Claire dans les yeux et, le plus naturellement du monde, j'ai répondu :

– Mes parents, ils font rien.

Éclats de rire.

Parfois, la nuit, je les entends encore s'esclaffer, mes 14 amis qui n'en étaient pas vraiment. Évidemment, aujourd'hui, je me dis que j'aurais dû m'efforcer de trouver une réponse. Mentir. Faire semblant. M'inventer un papa détective et une maman astronaute. Mais j'ai manqué de courage... ou d'imagination, peut-être.

– Ton papa ne travaille pas ? a continué madame Claire en changeant le ton de sa voix. Ta maman non plus ?

– Non, j'ai encore répondu.

– C'est vrai ! a vite renchéri Max, mon meilleur ami. J'habite juste en face de chez lui et les parents de Charles, ils sont toujours à la maison. Tous les jours. Même le matin, même le midi, même l'après-midi. Toujours, toujours là. Ils ne vont jamais, jamais, jamais travailler.

Et j'ai ajouté :

– Vous pouvez téléphoner, si vous voulez la preuve. C'est certain qu'ils sont là.

Madame Claire a esquissé un drôle de sourire triste. Ensuite, elle a modifié sa question, juste pour moi.

– Et toi, mon beau Charles-Étienne ?

– Moi?

– Tu feras quoi, quand tu seras grand?

– Des armoires! j'ai immédiatement répondu.

N'importe quoi, finalement.

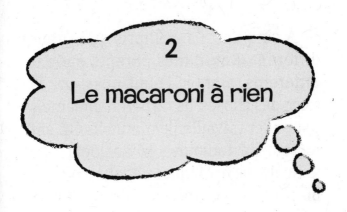

2
Le macaroni à rien

Quand on est tout petit, on croit naïvement qu'ailleurs, c'est comme chez nous. Qu'on retrouve dans toutes les maisons les mêmes menus, les mêmes habitudes, la même façon de vivre, les mêmes sortes de parents. Évidemment, un jour ou l'autre, tout le monde finit par s'apercevoir qu'ailleurs, c'est différent. Mais il y a vraiment de quoi s'affoler quand on constate que c'est à peu près semblable partout... sauf chez nous.

À cinq ans, j'ai compris que j'étais différent. Enfin, mes parents étaient différents, alors je l'étais aussi par la force des choses. Ils ne partaient jamais pour aller travailler le matin. Ils étaient toujours là, toujours à la maison à faire je ne savais trop quoi de leur journée. Bien sûr, on pourrait croire que je tirais quelques avantages de leur présence assidue. Qu'en rentrant chez moi, par exemple, un arôme de biscuits aux pépites de chocolat et de bons petits plats m'enveloppait. Eh bien, non. Vraiment pas. Mes parents avaient beau être toujours présents, tous les deux, les repas n'étaient jamais prêts. Quand je rentrais de l'école, ma mère était devant son ordinateur et mon père devant la télé, parfois, c'était l'inverse. Rien n'avait bougé de la journée. Pas de soupe qui mijotait, de gâteau qui cuisait ou de viande qui grillait. Même que la plupart du temps, c'était moi, oui, moi, pauvre petit bonhomme de cinq ans, qui devais aborder la question des repas... Quand mon ventre commençait à gargouiller dangereusement, j'en informais ma mère, qui quittait l'écran de son ordinateur en criant: «Oh là là! Quelle heure il est?»

Et alors, elle me donnait le choix du menu.

1. Pizza congelée.

2. Croquettes congelées.

3. Gaufres congelées.

Parfois aussi, les jours de fête, j'avais droit à mon plat préféré, quand ma mère avait le temps ou, plutôt, quand elle le prenait.

Ces jours-là, elle me cuisinait du macaroni à rien. Un pur délice! S'il ne restait plus de petites nouilles courbées, ma mère optait pour le spaghetti à rien et c'était tout aussi exquis. Un jour, elle a même cuisiné des fettucinis à rien. Décevant. Comme quoi il ne faut pas toujours innover en matière de cuisine.

Bref, un matin de tapis brun, quand madame Claire nous a tous rassemblés pour nous torturer encore avec ses grandes questions indiscrètes, elle nous a demandé :

– Parlez-moi de votre mets préféré…

Enfin une question simple à laquelle je n'aurais aucune espèce de difficulté à répondre ! Mes amis ne semblaient pas troublés non plus. Flavie aimait le pâté chinois, Thomas préférait les tacos, Max, les hot-dogs relish-ketchup, Coralie, la pizza toute garnie mais sans champignons, ni poivrons, ni olives, ni oignons.

C'était à mon tour de parler. Je ne tremblais pas, pour une fois. Pas de mains moites non plus. J'étais complètement détendu.

– Quel est ton mets préféré, mon beau Charles? a demandé madame Claire.

J'ai répondu sans hésitation:

– Le macaroni à rien.

Et vlan! Pas de chichis, pas de complications. La réponse était donnée. Je pouvais passer à autre chose. Des ateliers? Des jeux savants? Un découpage compliqué? Rien ne me faisait peur. J'étais le *king* de la maternelle! Jusqu'à ce que je constate que... 14 paires d'yeux me fixaient. Me scrutaient. M'interrogeaient en silence. Quinze avec ceux de madame Claire. Et ceux de madame Claire étaient sans doute les pires...

– Qu'est-ce qu'il y a? j'ai demandé, déjà moins sûr de moi.

– Parle-nous un peu du macaroni à rien, Charles-Étienne.

Que je parle du macaroni à rien ? Pourquoi ? Personne n'avait eu à expliquer en détail son menu préféré. Flavie n'avait rien dit de la viande, du maïs en crème et des pommes de terre qui se transforment en pâté chinois quand on les empile dans le bon ordre. Pourquoi moi, je devais donner ma recette ? Pourquoi, avec moi, les choses les plus simples se compliquaient-elles toujours ? Parce que je n'étais pas un petit garçon chanceux, voilà pourquoi.

– Alors, Charles ?

J'ai consenti à donner quelques précisions. Si c'était à refaire aujourd'hui, je me tairais. Non, aujourd'hui, je leur dirais que mon repas préféré, c'est le poulet. Rien à expliquer avec le poulet. Tout le monde a, au moins une fois dans sa vie, croisé un poulet. Je me suis tout de même lancé dans une explication détaillée du macaroni à rien. J'ai commencé en affirmant fièrement :

– C'est ma mère qui a inventé la recette.

Je ne mentais pas.

– Oh! a fait madame Claire, vraiment intéressée. Et elle les cuisine comment?

– On place des macaronis dans l'eau...

– Oui...

– On fait cuire.

– Hmm, hmm...

Jusque-là, tout allait bien. Ils suivaient tous. Silencieux. Suspendus à mes lèvres. J'ai donc continué sur ma lancée:

– Quand les macaronis sont tout mous, on les sort de l'eau.

– Et...

– On les place dans une assiette.

– Ensuite?

– C'est tout.

– C'est tout ? a demandé madame Claire en plissant le nez. Pas de sauce ? Pas de crème ? Pas de fromage ?

– Non, rien.

Éclats de rire, encore.

Pires que l'autre matin, peut-être. Celui où j'avais parlé de mes parents. Enfin, c'est toujours difficile de savoir si une torture est pire qu'une autre.

Alors, j'ai senti le besoin d'en rajouter.

– On peut étendre des mottes de margarine sur les nouilles, mais avec de la margarine, c'est pas la vraie de vraie recette de macaroni à rien.

Quelqu'un a fait « ouach ! », je l'ai très bien entendu. Et la discussion s'est arrêtée là. Parfois, je me demande si ce n'était pas Max, mon meilleur ami, qui avait crié « ouach ! »

Il faudrait que j'aborde la question avec lui, un de ces jours.

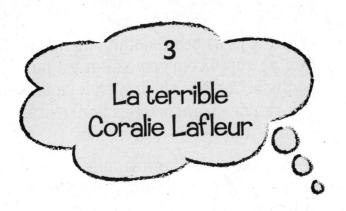

3

La terrible
Coralie Lafleur

Mon existence était déjà bien assez torturée, je n'avais vraiment pas besoin de Coralie Lafleur. Mais le destin l'avait mise dans ma classe. Le destin, c'est encore un truc qui ne nous laisse jamais le choix. Personnellement, je n'aime pas tellement le destin.

Coralie Lafleur avait vraiment tout dans la vie. Elle était jolie, elle possédait la plus impressionnante collection de crayons gel fluo de la terre et elle réussissait les casse-tête les plus compliqués en moins de trois minutes. Pour elle, tout était simple et facile, le tapis brun n'était jamais un lieu de supplice, l'école était un pur bonheur. Coralie Lafleur n'avait jamais l'air timide, ni angoissée, ni anxieuse, ni rien. Tout le contraire de moi.

Au début de l'année, elle ne me parlait jamais, ou rarement, ou alors seulement si je la dépassais dans le rang ou si je lui lançais le ballon sur le nez sans le faire exprès. Autrement, elle m'ignorait complètement et, croyez-moi, je ne m'en portais pas plus mal. Mais un matin, alors que j'en arrachais sérieusement avec des pastels secs qui me salissaient jusque dans mes espadrilles, au moment où j'hésitais entre m'effondrer en larmes, simuler un mal de ventre terrible ou tout jeter dans la poubelle, Coralie Lafleur s'est assise à côté de moi. Elle a attendu un petit moment, puis elle m'a demandé, mine de rien, sans même se douter qu'elle bousillerait mon enfance au grand complet:

– Est-ce que tes parents sont des pauvres?

– Des quoi?

– Des pauvres qui ont pas de sous...

Essayant d'avoir l'air tout à fait dégagé et espérant surtout en finir rapidement avec cette ridicule question, j'ai répondu:

– Non.

Ce n'était pas assez pour clouer le bec de miss Lafleur, qui a tout de suite rétorqué:

– Moi, je pense que oui.

– Pourquoi?

– Parce que.

– Parce que quoi?

– Parce que pour avoir des sous, il faut avoir un travail.

– Mes parents, ils vont jamais travailler mais ils ont quand même des sous.

– Ça, ça se peut même pas.

– Oui.

– Non.

– MADAAAAAME CLAIIIIIIIIIIIIIIIIRE!

Notre enseignante s'est approchée et c'est moi qui ai pris la parole le premier:

– Coralie Lafleur arrête pas de dire que mes parents sont des pauvres qui ont pas de sous!

Saisissant sans doute l'ampleur du drame que je vivais, madame Claire a aussitôt entraîné Coralie à l'écart. Elle n'avait pas l'air contente du tout. Je n'entendais pas, mais elles ont discuté un bon moment. Puis Coralie Lafleur est revenue vers moi et, sans me regarder, elle a marmonné:

– M'esscuse d'avoir dit que tes parents sont des pauvres qui ont pas de sous, parce que c'est pas ta faute.

Puis elle est partie bouder dans le coin des poupées tout le reste de l'avant-midi.

La question de Coralie Lafleur était pourtant très pertinente. Je lui avais répondu que mes parents n'étaient pas pauvres par légitime défense mais, au fond, je n'en avais aucune espèce d'idée. Du haut de mes cinq ans, j'essayais d'analyser la question. Mes parents n'avaient pas de vrai travail. Mon père ne construisait pas d'armoires et n'était pas pompier non plus, mais nous avions quand même une maison, une télé, des chips, des croquettes, des pizzas congelées et un ordinateur. D'où venaient les sous ? J'avais hâte d'éclaircir le mystère.

En fin d'après-midi, quand je suis rentré chez moi, mes parents étaient là. Comme toujours. Occupés à ne rien faire du tout. Enfin, ma mère était devant son ordinateur et mon père devant la télé à regarder des films de bandits et de voleurs avec des fusils. J'ai voulu leur demander si on était des pauvres ou pas, mais c'est ma mère qui m'a posé la première question :

– Qu'est-ce que tu as fait à l'école aujourd'hui, mon Charlou ?

J'ai cherché un peu, mais comme je n'arrivais vraiment pas à me souvenir de quoi que ce soit de ma trop longue journée passée à la maternelle, j'ai simplement répondu :

– Rien.

– Rien ? a répété ma mère.

– Non, rien.

Et vous savez quoi? Ma mère a souri! Pire: elle avait l'air fière de moi. Elle n'a même pas cherché à en savoir davantage.

Cet après-midi-là, j'ai compris que ne rien faire du tout, c'était formidable dans ma famille. Moi, Charles-Étienne Beaulieu, j'étais le digne héritier d'une longue lignée de... paresseux!

4
L'enveloppe secrète

L e lendemain, tout juste avant de quitter l'école, madame Claire m'a tendu une petite enveloppe blanche que je devais remettre sans faute à mes parents. Elle insistait vraiment.

– C'est très important. Tu comprends, Charles ?

– Oui.

– Tu ne l'oublieras pas ?

– Non.

– Promis ?

– Promis.

– Tu la donnes à ta mère ou à ton père, tout de suite en arrivant! D'accord?

– D'accord.

Je l'ai oubliée.

À cinq ans, je n'avais pas encore pris l'habitude d'ouvrir mon sac à dos en arrivant de l'école. Aujourd'hui, j'ai encore du mal à l'ouvrir, mais pour d'autres raisons. Bref, je n'ai pas donné l'enveloppe à mes parents et sincèrement, avec ce qui a suivi, je pense que ça aurait été beaucoup plus simple de la perdre ou de la jeter dans la bouche d'égout avant de rentrer.

Ma mère l'a trouvée le soir. Elle a ouvert l'enveloppe, a lu la lettre de madame Claire et l'a fait lire à mon père.

– Charles-Étienne Beaulieu-Thibodeau, viens ici tout de suite! qu'ils ont dit.

Qu'ils ont crié, plutôt. Tous les enfants de la terre savent que si leurs parents prennent le temps de dire leur prénom avec les deux noms de famille, c'est qu'il y a quelque chose qui cloche. Anguille sous roche. De l'eau dans le gaz. Et de l'eau dans le gaz, il y en avait. Nous sommes bien des années plus tard, j'ai oublié tout plein de détails de mon enfance, mais pas le regard de ma mère qui m'attendait dans la cuisine ce soir-là...

– Qu'est-ce que tu as raconté à ton enseignante, Charles-Étienne?

– J'ai rien raconté.

– Elle écrit que nous pouvons omettre de payer les frais de matériel scolaire ainsi que ceux couvrant toutes les sorties éducatives!

– Ça veut dire quoi, *omettre*?

– Ça veut dire: ne pas faire quelque chose.

Perspicace, madame Claire avait sans doute compris que je grandissais dans une famille où les parents préféraient omettre plutôt que de faire les choses. Je ne pouvais pas lui en vouloir.

Ma mère n'avait pourtant pas l'intention d'omettre de payer quoi que ce soit. Cela me rassurait un peu tout de même sur la question des pauvres, à laquelle personne n'avait encore répondu.

Elle a ouvert son portefeuille et j'ai bien vu qu'il n'était pas vide. Mes parents n'avaient peut-être pas un vrai travail, ils ne partaient jamais pour toute la journée, ils ne rentraient jamais crevés le soir très tard en parlant des problèmes des assurances comme ceux de Max, mais ma mère avait quand même un portefeuille avec des sous et des dollars et elle pouvait payer mon *scrapbook* et ma sortie à l'aquarium. C'était une bonne nouvelle!

– J'irai rencontrer ton enseignante demain après-midi! a annoncé ma mère, bien décidée.

– J'irai avec toi, a promis mon père.

Mais le lendemain, même s'ils l'avaient dit et même s'ils n'avaient strictement rien d'autre à faire, ils ont omis d'y aller.

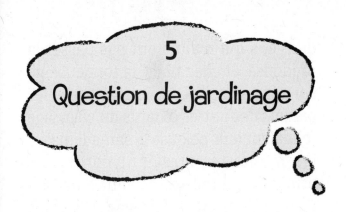

5

Question de jardinage

L'argent, c'est bien, mais ça ne règle pas tous les problèmes. J'avais peut-être découvert que mes parents avaient des sous, mais ils n'étaient pas moins paresseux pour autant. J'en avais la preuve tous les jours. L'état de notre pelouse en était un bon exemple.

Le gazon devant, derrière et sur le côté de notre maison était parsemé de pissenlits et de grandes tiges disparates et sans nom. Ce n'était ni beau ni laid. Disons que c'était différent des autres parterres et surtout très pratique pour des gens qui n'aimaient pas passer la tondeuse. Et chez nous, la tondeuse ne sortait pas souvent. Pendant que les parents des autres enfants du voisinage tondaient leur pelouse le samedi matin, les miens maugréaient contre les bruits de moteur en buvant leur café tranquillement. Notre gazon battait tous les records de hauteur. J'avais de l'herbe, du foin et des fleurs sauvages jusqu'aux genoux. J'en cueillais souvent pour ma mère qui, chaque fois, les plaçait dans un vase en ayant l'air émue pour de vrai. En fait, la hauteur de l'herbe ne posait aucune espèce de problème dans notre vie, jusqu'au matin où Coralie Lafleur m'a annoncé avec sa petite voix haut perchée :

– Mes parents disent que votre pelouse ressemble à un grand champ.

J'ai d'abord souri. C'est dire à quel point j'étais naïf. J'étais certain que Coralie Lafleur me formulait un compliment pour la première fois de sa vie. J'ai même répondu:

– Mes parents aussi trouvent que c'est beau comme ça.

– Mais mes parents trouvent pas que c'est beau, chez vous, a continué Coralie Lafleur, ils disent qu'il faut jamais laisser pousser les pissenlits, parce que c'est juste des mauvaises herbes.

– Les pissenlits, c'est des fleurs comme tout le monde!

– Non.

– Oui.

– Non, parce que les vraies fleurs, il faut aller les acheter au marché, ensuite on regarde dans les revues comment les placer pour que ce soit joli.

– Les fleurs, elles savent comment jardiner toutes seules, bon.

Elle a boudé. Ce qui m'a fait croire que j'avais gagné la bataille. N'empêche qu'elle avait raison, une fois de plus, et je le savais très bien. Mes parents ne jardinaient jamais comme les autres parents. Dans la maison, il y avait beaucoup de plantes, mais elles menaçaient tour à tour de mourir tellement elles avaient soif. Combien de fois j'ai vu ma mère courir vers une plante en criant «pauvre tite!», la noyer sous un torrent d'eau et essuyer

tout ce qui débordait de l'assiette parce qu'elle avait exagéré son affection? Ensuite ma mère oubliait encore la plante et elle se remettait à jaunir ou à perdre des feuilles, parce que c'est tout ce qu'elle avait trouvé pour crier à l'aide.

L'histoire du gazon m'a chicoté longtemps. En revenant de l'école, je regardais toutes les pelouses devant toutes les maisons et pas une ne ressemblait à la nôtre. Pourquoi? Mes parents n'avaient aucune espèce de raison de ne pas tondre la pelouse, pourtant. Tout le monde le faisait. Pourquoi pas eux? Mes parents avaient le temps. Ils n'avaient jamais rien à faire et ne faisaient jamais rien pour se trouver quelque chose à faire non plus.

Je n'étais pas au bout de mes peines, croyez-moi.

Un matin, Coralie Lafleur s'est inscrite au coin de peinture où j'étais déjà installé. Elle a enfilé son petit tablier bleu marine à pois jaunes et, en trempant minutieusement son pinceau dans le pot de gouache rose fluo, elle m'a dit, avec sa petite voix qui chantonnait:

– Moi, je l'sais-eee.

– Quoi?

– Ce qu'ils font, tes parents, pour avoir des sous.

Encore cette histoire de sous qui revenait! J'aurais tellement voulu l'ignorer, mais je n'ai pas pu. La question me titillait trop.

– Ils font quoi?

– Je peux pas le dire...

Elle a attendu un moment que je réagisse...

– Veux-tu le savoir?

Je n'ai rien répondu. J'étais certain qu'elle finirait par tout déballer.

Et quelques minutes plus tard, en traçant un énorme cercle parfaitement rond sur le papier blanc glacé, Coralie Lafleur m'a annoncé, l'air tout à fait dégagé :

– Tes parents, c'est des voleurs de bijoux.

– Hein ?

– C'est sûr.

– Pourquoi tu dis que mes parents sont des voleurs de bijoux ?

– Parce que pour avoir des sous, il faut partir travailler tous les matins avec un sandwich et un jus de légumes dans son sac.

– Pas besoin.

– Oui.

– Pas toujours besoin de jus de légumes, en tout cas.

– Ton père, c'est sûr que c'est un voleur de bijoux. Et ta mère aussi.

– Ma mère, elle a même pas de bijoux.

– Un jour, ils vont aller en prison, tes parents.

– ...

– Toi, tu vas rester tout seul dans ta maison.

– ...

– Et t'auras rien à manger.

– ...

– Même pas du macaroni à rien...

– MADAAAAME CLAIIIIRE!

J'ai vraiment hurlé.

Madame Claire a immédiatement abandonné le coin des jeux savants pour venir régler le monstrueux conflit qui venait d'éclater dans le coin de peinture.

– Qu'est-ce qui arrive encore avec vous deux? a-t-elle lancé en insistant sur le mot *encore*.

Même si j'avais le cœur dans la flotte, même si j'étais sur le point d'éclater en sanglots, que je tremblais comme une feuille morte, c'est moi qui ai répondu:

– Coralie dit que mes parents sont des voleurs de bijoux!

– Bon, bon, bon.

Et Coralie Lafleur a répliqué à la vitesse de l'éclair:

– C'est vrai que pour avoir des sous, faut avoir un vrai travail, sinon on est des voleurs, hein?

– Mais des fois, on peut gagner des sous avec un billet de loto, comme ma *matante*! a précisé Flavie qui passait par là tout à fait par hasard.

– Flavie, ne viens surtout pas t'en mêler, s'il te plaît! a vite tranché madame Claire.

– Mais ma *matante*...

– FLAVIE!

Certains jours, notre enseignante avait un peu moins de patience pour régler nos chicanes. Coralie Lafleur a dû enlever son petit tablier, s'attabler toute seule et me faire son plus beau dessin pour présenter ses excuses. Elle devait penser à une phrase qu'elle pourrait formuler, aussi. Une phrase gentille à mon égard. Ça lui a pris tout le reste de l'avant-midi pour la trouver.

Quand la cloche a sonné, elle m'a tendu son dessin coloré en mauve, rose, lilas avec des fleurs, des arcs-en-ciel et des papillons partout. Ce n'était vraiment pas mon genre de dessin, mais j'ai dit merci, parce que madame Claire nous observait du coin de l'œil.

Coralie a tenté de filer en douce, mais madame Claire l'a rattrapée juste à temps :

– Hé ho, ma belle ! Où vas-tu ?

– Dîner.

– Tu n'as pas une petite phrase à dire à Charles, avant de partir, toi ?

– Oui.

Le plus faible, le plus petit « oui » jamais entendu.

Comme elle n'avait vraiment pas le choix, Coralie Lafleur s'est approchée de moi, elle s'est penchée un peu et elle a chuchoté :

– M'esscuse que tes parents soient des voleurs de bijoux.

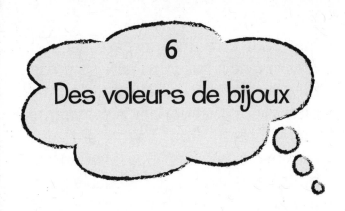

6
Des voleurs de bijoux

Donc, mes parents étaient des voleurs. Des voleurs de bijoux, de banque ou des voleurs de n'importe quoi. L'idée de Coralie Lafleur a évidemment fini par faire son chemin dans mon esprit. Je n'étais pas un fils de paresseux mais un fils de voleurs. Je ne savais pas si c'était mieux ou pire. Ni mieux ni pire, au fond. Je me disais, somme toute, que pour être un voleur, il faut être très courageux. Qu'être un voleur, c'était mieux que rien. Mieux que paresseux, sans doute. N'empêche que pour être un vrai paresseux et réussir à ne jamais rien faire, ça prend du courage aussi. Cela dit, j'aurais bien voulu questionner mes parents ouvertement. Tout savoir sur leur métier de voleurs. Opéraient-ils la nuit quand je dormais? Probablement, puisqu'ils étaient toujours présents le jour. Ma mère accompagnait-elle mon père? Me laissaient-ils tout seul aussitôt que je tombais endormi?

Mes angoisses s'empilaient.

Puis, un matin, pendant le déjeuner, je leur ai indirectement posé la question:

– Est-ce qu'on est des riches ou des pauvres, nous?

C'est mon père qui s'est empressé de répondre. Avec le plus grand des sourires, il a déclaré, en ayant l'air tout à fait sincère, qu'on était très riches et que moi, Charles-Étienne, je faisais partie de son immense richesse...

– Moi?

– On est millionnaires! a renchéri ma mère avec le même sourire.

– On est des millionnaires?

– Oh que oui...

Je vais vous dire, c'est très réconfortant d'apprendre un lundi matin, tout juste avant de partir pour l'école, qu'on est le fils de parents millionnaires. En fait, pour être honnête, j'ai été soulagé pendant cinq minutes seulement. Jusqu'à ce que ma mère ajoute la petite phrase qui a résonné dans mes oreilles pendant des jours, des semaines, des mois.

– Et notre petit bonheur, ça, on peut dire qu'on l'a pas volé.

Je ne comprenais plus, là. « Ça, on peut dire qu'on l'a pas volé... » Qu'est-ce qui avait été volé, exactement? Tout le reste? Le frigo? La cafetière? Le micro-ondes? Les boîtes de céréales?

L'image de mon père filant en douce sous les étoiles avec une cagoule sur la tête et un gros sac sur le dos continuerait de me hanter longtemps. Je comprenais maintenant que le jour, mes parents se reposaient, puisqu'ils passaient leurs nuits à vider les maisons du voisinage et peut-être même les banques, les bijouteries ou les musées, comme dans les films de voleurs que mon père regardait toujours. J'avais des parents millionnaires mais voleurs, ou plutôt millionnaires parce que voleurs et voleurs parce que paresseux, ou paresseux parce que millionnaires?

Je n'ai pas tellement passé une belle journée.

À l'école, je suis resté silencieux, j'ai raté tous mes bricolages et j'ai saigné du nez trois fois. Quand je suis rentré, à la fin de l'après-midi, mon père était encore affalé sur le divan. Les deux pieds sur la table à café. Il regardait un film de voleurs. Il prenait même des notes dans un grand cahier, mais maintenant je savais pourquoi... Il étudiait les méthodes des cambrioleurs pour pouvoir les reproduire la nuit tombée.

Ce soir-là, toutes mes hypothèses se sont confirmées quand j'ai entendu ma mère demander à mon père, qui fermait la télé :

– Est-ce que ça t'inspire de nouvelles idées ?

– Le coup de la banque est pas mal, je vais le mettre à ma main.

– Tu travailles encore cette nuit, je suppose ?

– Oui, il faut donner un grand coup cette semaine !

– Alors, je fais du café fort.

Coralie Lafleur avait raison et je lui en voulais tellement d'avoir raison. Mes parents finiraient en prison et moi, pauvre petit Charles-Étienne, j'habiterais tout seul, sans personne pour décongeler mes croquettes ! Abandonné de tous. Et quand je serais plus vieux, je deviendrais cambrioleur comme mon papa.

Il m'apprendrait le métier, sans doute...

Cette nuit-là, j'ai bien essayé, mais je n'ai pas réussi à rester éveillé. Je suis tombé endormi et mon père en a profité pour aller faire un important vol de banque ou quelque chose du genre. Le lendemain matin, il n'a pas déjeuné avec nous.

– Ton père a travaillé toute la nuit... m'a soufflé ma mère en plaçant devant moi un bol de Cheerios. Essayons de ne pas faire trop de bruit, Charles...

J'ai pris mon courage à deux mains et, ignorant si j'étais prêt à connaître la vérité, je lui ai demandé :

– Qu'est-ce qu'il a fait, papa, cette nuit ?

– Il a travaillé.

– Mais il a fait quoi ?

– Pour l'instant, c'est un secret. On préfère ne pas en parler. On te racontera plus tard... C'est promis.

– Quand ?

– Un jour.

– Quand je serai grand ?

– Mais non. Bientôt.

Je m'attendais un peu à ce genre de réponse floue.

7
La rencontre de parents

De tous les drames vécus cette année-là, le plus pénible a sans doute été la rencontre de parents à l'école. C'était un soir de novembre. Le genre de soir d'automne où les arbres se donnent le mot pour laisser tomber toutes leurs feuilles en même temps. Un soir de grand vent, où l'on aimerait mieux ne pas sortir du tout. Et c'est effectivement ce qu'on aurait dû faire.

Les choses ont très mal débuté. La réunion de parents était prévue pour 19 heures. À 19 h 20, nous étions encore tous les trois à la maison, bien au chaud. Mes parents étaient occupés à ne rien faire dans le salon et moi, je construisais une espèce de garage pour mes voitures dans ma chambre. Puis ma mère a hurlé : « Daaah ! Avez-vous vu l'heure ? » Un classique chez nous. Mes parents ne faisaient jamais rien mais réussissaient toujours à être en retard. On est sortis en vitesse, on a affronté l'automne, la pluie, le vent, les feuilles et on a couru comme des fous jusqu'à l'école. Mon père courait vraiment vite. Je me souviens d'avoir pensé que ce serait quand même bien utile le jour où les policiers tenteraient de l'attraper pour le mettre en prison après un vol de bijoux. C'est affreux toutes les images qui me venaient en tête, cette année-là.

Mais revenons à cette rencontre à l'école.

Des parents qui arrivent en retard à une réunion de parents, ce n'est pas terrible, je l'ai très bien vu dans les yeux de madame Claire quand on est entrés. Elle s'est arrêtée de parler, elle nous a regardés et nous, à bout de souffle, on s'est excusés. Ensuite, on est restés debout dans le fond de la classe parce que c'était tant pis pour nous. On avait juste à être à l'heure.

Pour l'occasion, madame Claire avait mis un collier, du rouge à lèvres et une robe exactement de la même couleur. Je la trouvais beaucoup plus jolie que les jours où elle était toute seule avec nous. Notre local était bondé de parents. Je pense qu'ils étaient tous présents, sauf ceux de Max qui travaillaient, parce que les parents de Max travaillaient toujours. C'était un peu étrange de se retrouver dans la classe alors qu'il faisait nuit dehors. Par la fenêtre, on voyait même la lune. Et tout le monde sait qu'on ne voit jamais la lune par les fenêtres des écoles. Ou alors seulement quand on s'ennuie. Mais ce soir-là, personne ne semblait s'ennuyer.

Sauf moi.

Une fois le long discours de madame Claire terminé, nous avions l'importante mission de présenter nos travaux, nos bricolages, nos chefs-d'œuvre à nos parents. Petite visite guidée. Comme je n'étais pas le plus doué, la plupart du temps, quand je soulevais mes bricolages pour les montrer, les pièces se détachaient une à une et finissaient sur le plancher. Mais mes parents appréciaient mes efforts. Ils observaient mes grandes créations en poussant des «Oh» et des «Ah!» comme tous les bons parents et, au bout du compte, j'étais plutôt fier de moi. Tout allait bien et je ne m'en sortais pas si mal. En fait, tout allait merveilleusement bien jusqu'à ce que mes parents se dirigent vers le grand babillard au fond de la classe... C'est là que les choses ont sérieusement mal tourné.

Madame Claire y avait épinglé les dessins que nous avions faits sur le thème : *notre famille...* Je le pense encore aujourd'hui, ce n'était pas une bonne idée. Les dessins peuvent révéler des secrets que les enfants n'ont pas envie de partager avec n'importe qui. Le mien en était un bon exemple. Madame Claire aurait mieux fait de le laisser dans le tiroir de son pupitre. Enfin, moi, j'aurais préféré. Et mes parents aussi, probablement.

Pendant que les parents de Thomas, de Flavie et de Coralie Lafleur félicitaient, s'exclamaient, affirmaient que leur enfant avait un grand, un immense talent, qu'ils en étaient fiers, mais tellement fiers, les miens étaient complètement pétrifiés devant le babillard. Silencieux, ils penchaient la tête d'un côté puis de l'autre, ils reculaient d'un pas puis avançaient pour regarder de plus près.

Lisant toute l'interrogation dans les yeux de mes pauvres parents, madame Claire s'est approchée de nous. Souriante, elle m'a demandé:

– Charles, tu peux peut-être expliquer ton dessin à tes parents, mon grand?

Je le jure, pas un élève de ma classe n'avait eu à commenter son dessin. Comme pour le macaroni à rien, comme pour le métier de mes parents. J'étais condamné à devoir toujours tout expliquer alors que je ne comprenais jamais rien à rien.

Je suis resté muet un bon moment. Honnêtement, je trouvais qu'il n'était vraiment pas si mal, le dessin de ma famille. Je ne comprenais pas du tout l'expression affolée de ma mère...

– Charles? Qu'est-ce qu'on voit sur ton dessin? insistait madame Claire.

– Il est pas beau? j'ai fini par demander.

– Il est magnifiiiique! Mais je pense que tes parents aimeraient bien comprendre...

– Comprendre quoi?

Elle l'a décroché, elle s'est accroupie et j'ai pu pointer tous les éléments du bout de mon index...

– Ici, c'est mon papa.

– Hmm, hmm... Et ici?

– Elle, c'est maman.

– Hmm, hmm... Et ça?

– Quoi?

– Peux-tu nous dire, Charles, pourquoi tu as barbouillé tes parents avec un gros crayon feutre noir?

– C'est pas barbouillé.

– Excuse-moi. Pourquoi as-tu «dessiné» toutes ces lignes noires sur tes parents, alors?

Aujourd'hui, je me demande si madame Claire soupçonnait quelques opérations louches dans ma famille. Voulait-elle me faire révéler un ou deux secrets? Y avait-il un micro caché quelque part? La police se tenait-elle derrière le classeur? Peut-être qu'un intervenant de la DPJ avait entendu parler de parents étranges qui habitaient le quartier? Des parents à la fois millionnaires, un peu voleurs et tellement paresseux? Qui peut affirmer sans l'ombre d'un doute que les enseignantes de maternelle ne sont pas des agents doubles? Mais, à l'époque, j'étais petit, mignon, naïf, je l'ai déjà dit, je n'avais pas appris à me méfier. En fait, j'ignorais même qu'il fallait se méfier dans la vie. Alors, j'ai répondu sans mesurer les conséquences de mes paroles:

– C'est pas des lignes noires, c'est des barreaux.

Je n'ai rien ajouté. Ma mère semblait trop affolée. Mais madame Claire m'a tout de même demandé, comme si les choses n'étaient pas assez compliquées, comme si elle ne se doutait pas que je préférerais de loin être chez moi à jouer aux voitures tranquillement dans ma chambre, comme si elle ne voyait pas que ma mère était au bord de la panique...

– Charles-Étienne, pourquoi tu n'es pas sur le dessin? J'avais demandé de dessiner toute la famille, tu te souviens?

– Je peux pas être avec eux, moi.

– Pourquoi?

– Parce que je suis tout seul à la maison.

– Voyons, qu'est-ce que tu racontes, Charles? s'est écriée ma mère, en état de choc. Nous sommes toujours, toujours à la maison avec toi!

– Tu dis que tu es tout seul? a continué doucement madame Claire. Et tes parents, où sont-ils?

Espérant en finir une fois pour toutes, j'ai répondu:

– Mes parents sont en prison.

Mon père a éclaté de rire. Un grand rire sonore qui a fait taire le reste de la classe. Tout le monde nous regardait. Il a même ajouté que c'était formidable à cet âge d'avoir autant d'imagination.

– Tout le portrait de son père! a-t-il affirmé en m'ébouriffant les cheveux.

Ma mère a froncé les sourcils et même si elle a entraîné mon père un peu à l'écart, j'ai très bien entendu quand elle lui a dit qu'il n'y avait absolument rien d'amusant. Que c'était terrible, un enfant qui dessinait ses parents en prison. Madame Claire a approuvé, elle a précisé que j'étais un petit garçon plutôt silencieux, un peu nerveux et peut-être anxieux. Ils chuchotaient mais j'entendais tout.

Si j'avais su qu'ils en feraient toute une histoire, c'est certain que je n'aurais jamais mis mes parents derrière les barreaux de la prison. Mais à cinq ans, on ne réfléchit pas quand on dessine nos œuvres. Ce sont les autres qui analysent et essayent de tout comprendre. Pour Picasso, c'est exactement pareil.

Quand je repense à cette année-là, j'aimerais vraiment pouvoir reculer dans le temps. Avoir encore 5 ans, mais avec l'expérience de mes 15 ans. Je ne savais tellement rien de la vie à l'époque.

Maintenant que je sais tout, c'est trop tard.

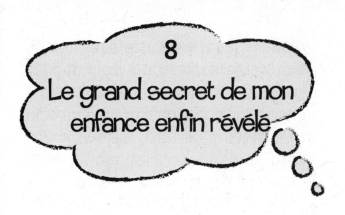

8
Le grand secret de mon enfance enfin révélé

Le drame, c'est que, bien souvent, les parents des uns feraient parfaitement le bonheur des autres. Et vice versa. Enfin, je pense à Max en affirmant cela. Difficile à croire, mais mon meilleur ami, qui connaissait bien mes parents et qui était souvent chez moi, me trouvait... chanceux ! Max avait hérité de parents absents, ce qui n'est pas beaucoup mieux que d'avoir, comme moi, toujours les siens sous les yeux. Que mes parents soient toujours présents quand je rentrais, qu'ils soient toujours, toujours là, était pour Max le symbole du bonheur parfait. Il m'enviait. C'est ce qu'il m'a avoué bien des années plus tard. Au début des vacances d'été, cette année-là, dans le silence de ma chambre, la porte fermée, à l'abri des oreilles parentales, j'ai fini par révéler à Max le terrible secret qui me chamboulait le cœur.

Il a hurlé.

– Des vrais voleurs ?!

– Chuuut, nono ! Faut pas que mes parents le sachent !

– Hein ? Tes parents savent pas qu'ils sont des voleurs ?

– Ils savent pas que moi, je le sais.

– Et ils volent quoi ? Des voitures ? Des vélos ? Des banques ?

– Je sais pas trop.

– Tu sais pas trop ?

Le doute s'est aussitôt installé dans les yeux de mon meilleur ami. La déception, aussi. Il a fini par me dire sur un ton boudeur:

– C'est même pas vrai, ton histoire de parents voleurs.

– Mes parents travaillent jamais pour gagner des sous, Max! Avec quoi ils auraient pu acheter la télé, l'ordi et le divan?

– Ouin...

– En plus, mon père écoute toujours des films avec des bandits.

– Mon père écoute toujours des films avec des vampires et c'est pas un vampire.

– Mais mon père, lui, il prend des notes en même temps pour avoir des idées.

Max est resté un moment silencieux. Puis il m'a dit:

– On devrait les espionner.

– Qui?

– Tes parents. Pour savoir si c'est des voleurs.

L'idée était géniale. Si je voulais décrire l'importance de l'amitié dans une vie d'enfant, c'est précisément de ce moment-là que je parlerais. Max était solidaire avec moi. Complice de mon malheur. Je n'étais plus seul avec mon lourd secret. C'était exactement ce qu'il fallait faire : espionner mes parents. Les démasquer, essayer de comprendre pourquoi ils avaient choisi d'être des paresseux-voleurs plutôt que de partir travailler tous les matins. Je n'aurais jamais besoin de leur poser la question. De toute manière, je savais très bien que jamais ils ne m'auraient révélé la vérité. Jamais ils n'auraient abordé la question d'eux-mêmes non plus. Imaginez la conversation autour de la table. Ma mère qui m'annoncerait, entre deux bouchées de croquette :

– En passant, mon chou, on t'a déjà dit que ton père et moi, on est les deux pires bandits de la ville?

– Non, mais je m'en doutais un peu.

– C'est vrai?

– Avant, je pensais que vous étiez seulement des paresseux mais, finalement, j'ai compris.

– Oh… moi qui avais tellement peur de t'en parler. Tu es un fin limier, mon garçon!

– Est-ce que vous allez toujours être des voleurs ou si un jour vous allez avoir un vrai travail et partir avec un sandwich et un jus de légumes dans un sac à lunch?

– Oh! jamais de la vie! C'est très amusant de cambrioler les banques, tu sais. On t'emmènera avec nous, si tu veux…

– Quand je serai grand?

– Mais non. Bientôt.

Ce que j'ai pu en imaginer, des conversations comme celle-là !

Assis sur mon lit, le regard déterminé, Max élaborait déjà son « super plan génial d'espionnage », comme il l'appelait. Il abordait le drame que je vivais avec beaucoup de sérieux.

– On dit qu'on serait les deux meilleurs espions du monde, OK, Charles ?

– OK.

– Moi, je serais le grand patron des espions.

– Pas besoin de grand patron, Max.

– Je m'appellerais John. Toi, tu t'appellerais Mike.

– On ferait comment ?

– Pour ?

– Ça prend du matériel d'espion. Des postes d'écoute d'espion et des genres de micros d'espion.

La question demandait effective-ment réflexion. Et on a réfléchi. Long-temps. Le temps de vider une boîte de biscuits Whippet, pour vous donner une idée.

Max a fini par annoncer officielle-ment la première partie du projet. Je ne sais pas si je vous l'ai dit, mais Max avait 11 mois de plus que moi, ce sont des détails qui font toute une différence quand il faut tisser un grand réseau d'espionnage. De nous deux, Max était le plus costaud, le plus fonceur et de loin, je l'avoue, le plus ingénieux.

En baissant le ton, au cas où mes parents approcheraient, il m'a annoncé:

– Ça va nous prendre des walkies-talkies pour qu'on puisse se parler même pendant la nuit, Charles.

– Pas le choix.

– Faudra trouver des habits d'espion, aussi.

– C'est comment, des habits d'espion?

Max n'avait quand même pas réponse à tout. Il ne savait pas trop pour les habits d'espion. Et j'ai apporté un nouveau problème:

– On serait des espions, des détectives ou des agents secrets?

Il m'a répondu sans aucune hésitation:

– Les trois, c'est pareil!

– Es-tu certain?

– Va demander à ta mère.

Je suis sorti de ma chambre en courant mais je suis revenu aussitôt. Ce n'était pas une bonne idée de discuter des espions avec ma mère. Elle se douterait de notre mission, elle en parlerait à mon père, qui se méfierait de nous, et on ne pourrait jamais rien découvrir sur leur métier de cambrioleur.

– T'as raison ! m'a dit Max en fermant la porte de ma chambre. On va décider tout seuls si on est des espions, des détectives ou des agents secrets.

– Moi, je dis qu'on est des espions.

– OK. Ça va nous prendre des lunettes noires d'espion.

– Des jumelles, aussi.

– Des fusils !

– Des fusils ?

– Non, pas des fusils.

On a discuté longtemps. En fait, on a parlé surtout des costumes et des différents accessoires nécessaires à notre mission, mais c'était tout un départ. Une question nous chicotait encore. La plus importante, peut-être... Où trouver des walkies-talkies ?

Max a fini par me confier :

– Je connais juste une personne qui a des super walkies-talkies qui fonctionnent pour de vrai…

– Moi aussi.

– Va lui demander, Charles !

– Vas-y, toi…

– Non, toi !

On était sur le point de trancher la question avec un roche-papier-ciseaux-allumette sans merci quand la gardienne de Max a téléphoné. Il devait rentrer souper immédiatement et sans discuter.

– J'ai même pas faim… qu'il répétait au téléphone à sa gardienne, qui ne pouvait pas savoir, la pauvre, que Max venait de vider la boîte de Whippet avec moi.

Mais il n'a pas eu le choix. Max devait abandonner la mission ultra-secrète immédiatement, sinon il ne pourrait pas sortir après le souper.

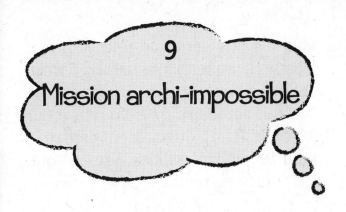

9
Mission archi-impossible

Je me demande encore comment Max a pu croire que Coralie Lafleur accepterait de nous prêter ses walkies-talkies super performants sans mettre la moindre condition et surtout sans poser de question. Il la connaissait aussi bien que moi, pourtant. Coralie Lafleur habitait juste à côté de chez Max qui, lui, habitait juste en face de chez moi. Le monde est vraiment petit quand on est petit. C'est bien fait, la vie.

Ce jour-là, Max et moi, liés à la vie à la mort et surtout gonflés d'espoir, on est allés sonner chez Coralie Lafleur.

Max n'a pas perdu de temps. Il m'a tellement impressionné. Quand Coralie Lafleur a ouvert la porte, il n'a même pas fait semblant qu'il voulait jouer avec elle. Il lui a directement demandé pour les walkies-talkies. Sans détour. Pas timide du tout.

Évidemment, Coralie Lafleur avait besoin d'en savoir plus.

– Pourquoi vous voulez mes walkies-talkies?

– Pour faire une mission, a aussitôt répondu Max.

Ce qu'il n'aurait jamais dû dire.

– Une mission de quoi? a insisté Coralie.

– Une mission ultrasecrète!

Ce que je n'aurais jamais dû dire.

– Oooh. Moi, j'aime ça, les missions ultrasecrètes. Je peux-tu la faire avec vous?

– Non, parce que c'est une mission ultrasecrète avec pas de fille, a vite rétorqué Max.

– Ben c'est une mission ultrasecrète avec pas de walkies-talkies, d'abord !

Elle a fermé la porte et on a retraversé la rue.

Assis dans les marches de notre escalier, Max et moi, on a fait une importante réunion. Il fallait discuter entre hommes. Pour moi, il n'était pas question de révéler notre secret à Coralie Lafleur. Pour Max non plus. Par la fenêtre du salon, Coralie nous observait. Elle se tenait derrière les rideaux, mais on la voyait très bien.

Au bout d'un moment, j'ai soufflé à Max :

– À moins d'embarquer Coralie Lafleur avec nous ?

– Jamais !

– T'as raison : jamais de la vie.

Silencieux, je cherchais toujours une solution quand j'ai vu le visage de Max s'illuminer :

– Je l'ai, Charles ! On va emprunter l'appareil d'espion de mes parents !

– Tes parents, c'est des espions ?

– Ils ont un vrai appareil pour espionner.

– Ils ont déjà été des espions ?

– Attends de voir, c'est génial et ça marche !

– C'est ton grand-père qui était un espion ?

– On va réussir notre mission, Charles !

Max allait rester mon meilleur ami pour toute la vie. Nous avions repris confiance. Notre première mission consistait à percer le mystère de ma famille mais, un jour, les gens nous confieraient d'importantes enquêtes. Un jour, Max et moi, on ouvrirait une agence et on recevrait des tas d'appels de gens qui auraient besoin qu'on en espionne d'autres. Bref, grâce à la mystérieuse machine des parents de Max, tout devenait possible.

Mais même si on était vraiment de bonne humeur et même si on avait des montagnes de projets, quand on a aperçu Coralie Lafleur s'approcher de nous en faisant danser ses couettes, on a grogné :

— Pas elle...

— Pas un mot sur notre mission, hein, Charles ?

— Juré.

En mâchant sa grosse gomme aux cerises sous notre nez, en tournant ses couettes blondes autour de son index, Coralie Lafleur nous a demandé :

— Qu'est-ce vous faites ?

– On réfléchit.

– Je peux-tu réfléchir avec vous?

Elle n'a pas attendu notre réponse. Elle s'est assise dans les marches.

– Vous faites pas la mission ultrasecrète?

– Non.

– Pourquoi?

On est restés discrets.

Coralie a fait éclater la bulle de sa gomme et elle a annoncé avec un air triomphant:

– C'est oui, pour les walkies-talkies.

– Tu nous les prêtes? s'est intéressé Max beaucoup trop rapidement à mon goût.

– Je vous en prête un.

– Hé! Ça prend les deux pour notre mission! j'ai vite lancé.

– Je garde l'autre pour vous aider.

– Pas besoin d'aide! a tranché Max. Hein, Charles?

– Pas besoin.

Et j'ai osé préciser, sûr de moi, sachant fort bien que n'importe qui sur terre craquerait en entendant cette phrase qui allait scier Coralie Lafleur en deux et la faire taire à jamais:

– On n'a pas besoin de tes walkies-talkies parce qu'on a un vrai de vrai super appareil qui appartenait au grand-père de Max qui a déjà été un espion russe, tu sauras!

– Menteur!

– C'est vrai, hein, Max?

– C'est vrai.

Coralie Lafleur est aussitôt repartie chez elle. Sans faire danser ses couettes. Le pire, c'est que je suis à peu près certain que Max pensait la même chose que moi. Avec Coralie Lafleur dans notre agence, la mission secrète avancerait sûrement plus rapidement. À cause de ses walkies-talkies, mais aussi parce que c'était la fille la plus intelligente de la classe et qu'elle réussissait même les casse-tête qui avaient beaucoup trop de morceaux pour nous. Mais on n'a rien dit. On a gardé notre fierté et on a traversé chez Max.

On est entrés en longeant les murs du corridor sans faire le moindre bruit. La gardienne de Max lisait une espèce de magazine de filles, écrasée dans le gros fauteuil de cuir du salon. Elle ne nous a pas regardés. Elle ne nous a même pas entendus arriver.

C'était fort prometteur pour les espions qu'on avait l'intention de devenir. J'ai suivi mon ami à pas feutrés jusqu'au sous-sol. Max a ouvert la porte d'un grand garde-robe de cèdre et, en pointant une boîte sur la tablette du haut, il a chuchoté :

– C'est l'appareil d'espion…

– Wooow ! j'ai soupiré, même si tout ce que je voyais, c'était une boîte de carton ordinaire.

On a approché une chaise. Max, qui était plus grand que moi, est monté. Il a saisi la précieuse boîte, qu'il a bien failli échapper en descendant, mais je l'ai attrapée juste à temps. Max a soulevé le couvercle doucement et j'ai vu l'objet, la chose, le trésor !

Il y avait deux parties à la machine. Un appareil gris et beige qui ressemblait à un walkie-talkie avec un bouton pour régler le son, et l'autre, on aurait dit une petite radio avec une antenne en caoutchouc et un fil pour l'électricité. En l'observant de près, j'ai demandé à Max :

– Qu'est-ce qui est écrit, ici ?

Max a glissé son doigt lentement sous chacune des lettres et, en appuyant bien sur chaque syllabe, il a lu :

– AP- PA- REIL- D'ES- PI- ON.

Max était mon idole.

– C'EST MÊME PAS UN APPAREIL D'ESPION-EEE !

Le commentaire venait de l'escalier derrière nous. Évidemment, on avait reconnu la petite voix criarde. L'odeur de gomme aux cerises aussi. Coralie Lafleur nous avait suivis, la traîtresse ! Elle était entrée par effraction dans la maison de Max et attendait sans doute le moment opportun pour nous surprendre. Bref, soyons honnête, Coralie Lafleur avait toutes les qualités d'une bonne espionne, elle aussi. Ce qu'il n'était absolument pas question d'admettre. Du moins, pas devant elle.

– T'as pas le droit de venir ici! a lancé Max, furieux.

– Je vous ai apporté les deux walkies-talkies... a répondu calmement Coralie.

Elle tenait effectivement une boîte dans ses mains.

– Pas besoin de walkies-talkies, hein, Charles?

– Je te l'ai dit: on a notre appareil d'espion!

Coralie a levé les yeux au ciel en soupirant:

– C'est même pas un vrai appareil d'espion.

– Oui, c'en est un !

– C'est juste un appareil qu'on met dans la chambre des bébés pour savoir s'ils pleurent.

– Non ! répétait Max, furieux. C'est écrit ici : AP- PA- REIL- D'ES-PI- ON !

– C'est écrit *Fisher Price* ! On en a un pareil dans la chambre de mon petit frère William ! a précisé Coralie.

Argument de poids.

– Peut-être que Fraîcheur Praisse, ça veut dire appareil d'espion en anglais ?

C'est moi qui avais émis cette brillante hypothèse.

– Fisher Price, c'est le nom de la compagnie qui a fait l'appareil, m'a froidement répondu Coralie.

– Comment tu peux savoir ça ?

– Moi, je demande toujours ce qui est écrit partout parce que je sais presque lire-eee.

Cette fois, j'ai sérieusement envisagé la possibilité d'impliquer Coralie Lafleur dans notre première mission ultrasecrète. Les grands enquêteurs ont toujours besoin d'une fille qui sait presque lire. J'ai observé Max. Il ne la regardait même plus. Lui, sa position était claire. Il avait pris la ferme décision d'ignorer Coralie Lafleur. De ne plus s'en occuper du tout. Faire comme si elle n'était pas là, croyant sans doute qu'elle finirait par partir et nous laisser tranquilles. C'est une technique qui fonctionne bien avec les guêpes quand on ne veut pas se faire piquer, mais avec les filles, c'est plus compliqué.

– Je peux-tu jouer avec vous à la mission ? a fini par demander Coralie Lafleur, avec une petite voix qui chantait presque.

– C'est pas un jeu ! La mission, c'est sérieux, hein, Max ?

– Hyper sérieux.

– Marché conclu ! a lancé Coralie Lafleur.

– Hein ?

– Je vais jouer hyper sérieux.

Max et moi, on s'est regardés et on a haussé les épaules. Quand deux gars se regardent et haussent les épaules, c'est qu'ils ont envie de dire oui à la fille mais qu'ils attendent encore un peu.

Coralie l'a compris. Elle a souri et Max a vite précisé :

– À condition que tu te trouves un nom d'espionne. Moi, c'est John. Charles, c'est Mike.

– Moi, c'est Lilas.

Max a grimacé. Puis il a annoncé, à la manière d'un grand commandant général :

– Première partie du plan : aller cacher l'appareil d'espion chez Charles pour écouter ce que ses parents disent...

Coralie Lafleur avait l'air profondément déçue. On l'a très bien vu dans ses yeux.

– Votre super mission ultrasecrète, c'est juste d'espionner les parents de Charles ?

Max et moi, en même temps, sans se laisser démonter par le manque d'enthousiasme de notre collègue, on a répondu :

– Ouais !

– On veut savoir si les parents de Charles, c'est vraiment des vrais voleurs.

– C'est sûr. C'est des voleurs de bijoux, a affirmé Coralie Lafleur.

– On veut la preuve. Tu restes dans notre équipe d'espions ou tu pars ?

– Je reste.

De toute manière, elle en savait déjà trop pour qu'on la laisse partir.

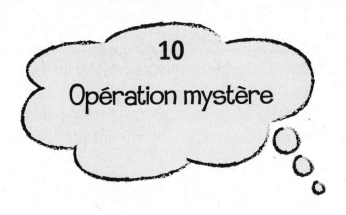

10
Opération mystère

La mission a débuté le lendemain matin. On s'était donné rendez-vous chez moi, tout juste après les dessins animés de Superman. Max est arrivé le premier. Il avait l'appareil d'espion sous son gilet à capuchon gris. Mes parents discutaient dans la cuisine. Ils n'ont rien vu. Le mot d'ordre était de porter le vêtement le plus foncé possible pour ne pas être trop visible. C'est Max qui avait pris l'idée dans un film d'espions.

On a attendu Coralie Lafleur long-temps. Sa participation à la mission commençait bien mal. Quand elle est arrivée dans sa robe rouge avec des fleurs jaune citron, on n'était pas trop contents.

– On avait dit qu'on s'habillait en noir, Coralie!

– Je l'sais, mais ma mère a pas voulu parce qu'elle dit que l'été, on met des robes colorées.

– Pas quand on est une espionne!

– Ça, je pouvais pas le dire à ma mère parce que c'est une mission secrète.

Elle marquait un point, quand même. On pouvait compter sur sa discrétion, ce qui était déjà pas mal. Max n'a pas insisté. On avait des préoccupations plus importantes que la couleur de la robe de notre associée.

– On fait quoi?

J'ai osé poser la question parce qu'on était tous les trois, debout dans ma chambre, à ne faire rien du tout depuis un bon moment.

– Tes parents sont où ? a demandé Max.

– Dans la cuisine.

– Qu'est-ce qu'ils font ?

– Ils déjeunent...

– Hein ? Ils déjeunent encore ? s'est étonnée Coralie.

– Même qu'ils sont encore en pyjama... j'ai ajouté, pas fier d'eux.

– Chez nous, mon père a déjà réparé la clôture, il a lavé sa voiture et il a tondu la pelouse ! s'est vantée miss Lafleur.

– Moi, mes parents sont partis à 7 heures pour travailler au bureau, a fait Max sur un tout autre ton. Ils travaillent même le samedi et même le dimanche...

J'ai soupiré :

– Les miens déjeunent presque tout l'avant-midi en lisant.

– On va aller placer l'appareil d'espion dans la cuisine ! a suggéré Max, qui ne voulait plus perdre de temps.

Je n'ai pas bougé, parce que ce n'était pas si simple.

– Comment on va faire pour placer l'appareil sans que mes parents nous voient ?

On devait trouver une bonne stratégie.

– Moi, je l'sais-eee.

On faisait les gars qui savaient très bien aussi mais, au fond, on attendait patiemment la suite...

– Max a juste à faire semblant d'être prisonnier des toilettes.

– Ben là...

– Pendant que tes parents vont s'occuper de Max, Charles, tu vas pouvoir placer l'appareil de bébé dans la cuisine.

– L'APPAREIL D'ESPION! a hurlé Max.

Et j'ai demandé à Coralie Lafleur:

– Toi? Tu fais quoi dans la mission?

– Moi, je reste à la base pour donner des bonnes idées aux espions. Je suis comme la grande directrice générale.

– Pas besoin de grande directrice générale, hein, Max?

– Vraiment pas.

N'empêche qu'on obéissait sagement à Coralie Lafleur. On avait bien fait de l'engager.

– C'est nono, l'histoire des toilettes... a bougonné Max en sortant de la chambre.

Seulement parce qu'il aurait voulu avoir l'idée le premier.

Il a filé vers notre salle de bain, il a compté jusqu'à 30 et il a hurlé, comme l'avait suggéré madame la directrice:

– HEEE! J'SUIS PRIIIS! AU SECOUUUURS! SUIS PAS CAPABLE DE DÉBARRER LA POOORTE DES TOILETTES!

Mes parents se sont aussitôt précipités vers la salle de bain pour sauver le petit Max qui, à mon avis, en faisait un peu trop. J'ai pu placer l'appareil d'espion près du grille-pain et je suis rentré à la base. Une fois délivré, Max est revenu en courant dans la chambre et on s'est tapé dans les mains. Mes parents n'ont jamais compris comment Max avait pu avoir autant de difficulté avec la barrure de la poignée, mais ça, c'est une autre histoire.

On a allumé l'espèce de walkie-talkie. Comme on se chicanait pour savoir qui de nous trois avait le droit de le tenir dans ses mains, on l'a finalement placé sur le lit. On s'est assis et on a attendu que mes parents se mettent à discuter.

On a attendu longtemps.

Mes parents n'étaient vraiment pas bavards, ce matin-là. À la table, ma mère lisait toujours sa pile de feuilles en silence.

Mon père lisait aussi.

– C'est plate... a fini par soupirer Coralie.

– Chuuut!

– Ils disent jamais rien, tes parents?

– Attends...

– C'est long!

– Chuuut!

Puis, au moment où l'on ne s'y attendait plus, l'appareil d'espion a craché un bruit qui nous a fait sursauter.

Une espèce de POC terrible.

– C'est quoi, ça? a fait Max.

Après, on a entendu une sorte de grésillement. Comme si quelqu'un frottait du papier sablé près de l'appareil. C'était vraiment bizarre...

– Qu'est-ce qu'ils font? répétait Max, l'oreille collée contre l'appareil.

– Aucune idée... j'ai répondu.

– Le POC, c'était le grille-pain. Là, ils mettent du beurre sur la rôtie! a brillamment avancé Coralie.

Elle était très forte.

Mes parents ont ensuite échangé quelques phrases. Et voici la version intégrale de ce que Mike, John et Lilas, espions de la mission, ont pu entendre dans le moniteur Fisher Price, ce matin-là :

Mon père : Encore un peu de café ?

Ma mère : Merci…

Mon père : Une autre rôtie ?

Ma mère : Ooh non.

Mon père : Passe-moi la confiture, s'il te plaît…

Bruit de pages qu'on tourne.

Bruit de pages encore.

Et c'est pas mal tout.

– Moi, je joue plus ! a soudain lancé Coralie Lafleur en se levant.

– Hein ?

– C'est trop plate, la mission !

– Hé ! Coralie Lafleur ! Tu peux pas abandonner !

– J'aime mieux aller jouer dehors, moi.

– Faut être patient quand on est un espion.

– Je suis patiente.

– Non.

– Oui. Mais votre mission secrète, c'est pas drôle. Les parents de Charles, ils font jamais rien.

Pendant que la chicane éclatait sérieusement entre mon collègue et la directrice générale qui voulait donner officiellement sa démission, mes parents entamaient une importante conversation.

Mine de rien, on était carrément en train de tout rater.

– Chuuuut! j'ai hurlé.

Mes amis se sont calmés un peu et on a pu attraper la fin:

Ma mère : Je ne suis pas d'accord avec l'idée des otages, Maurice.

Mon père : Mais c'est ton idée, les otages !

Ma mère : Je l'sais, mais je me questionne. Ce n'est peut-être plus nécessaire ?

Mon père : Je garde l'idée pour le moment. À part les otages, tout est au point, d'après toi ?

Ma mère : Tout est parfait. C'est pour vendredi, hein ?

Mon père : Oui...

Puis, ils ont quitté la cuisine et, comme on ne pouvait plus rien capter parce qu'ils étaient trop loin, on a fermé l'appareil d'espion.

«À part les otages, tout est vraiment au point...»

Je répétais la phrase à voix basse.

Max la répétait aussi.

À vrai dire, on ne comprenait strictement rien de ce qu'on avait entendu. Comme si mes parents avaient décidé de parler en langage codé. Se doutaient-ils qu'ils étaient sur écoute? En faisant griller la dernière rôtie, mon père avait-il aperçu l'appareil d'espion près du grille-pain? Peut-être qu'ils voulaient simplement brouiller les pistes, parce qu'ils avaient habilement découvert qu'on les espionnait? Le mystère planait. Et moi, inquiet plus que jamais, torturé comme toujours, pas rassuré pour deux sous, la gorge nouée, le cœur affaibli par les coups durs de ma famille délinquante et sans scrupule, j'ai rassemblé ce qu'il me restait de courage pour demander à mes amis:

– C'est quoi, des zotages?

Instinctivement, Max et moi, on s'est tournés vers Coralie Lafleur.

Elle a haussé les épaules. Elle ne savait pas non plus. Mais comme elle n'était jamais à bout de ressources, elle a proposé :

– Je vais aller demander à ma mère.

– Bonne idée ! On t'attend dans les marches.

– OK.

– Ouvre ton walkie-talkie, on va pouvoir se parler.

– OK.

– Bonne chance, Lilas !

Elle est partie. Sans courir. Comme si ce n'était pas une urgence.

Comme si ce n'était pas toute ma vie qui dépendait de la réponse qu'elle rapporterait. On a dû l'attendre pendant d'interminables minutes. On a même soupçonné qu'elle avait abandonné la mission pour aller jouer avec Flavie. Ce qui aurait très bien pu arriver.

Max répétait dans le walkie-talkie :

– John appelle Lilas ! John appelle Lilas ! À vous…

– …

– Des problèmes, Lilas ? Un, deux… John appelle Lilas. À vous !

– …

Max s'impatientait de plus en plus :

– Je gage qu'elle a même pas ouvert son walkie-talkie !

Coralie est finalement sortie de chez elle 20 minutes plus tard. Une éternité. Quand elle a vu que Max parlait dans le walkie-talkie, elle a ouvert le sien en faisant «Oups !» Puis elle a dit :

– Lilas à l'écoute. À vous.

– Grouille ! À vous.

– J'apporte des *pops*. À vous.

– Quelle sorte ? À vous.

– Rouges. À vous.

– OK. Ferme ton walkie-talkie, Coralie. On est juste à côté de toi.

Comme elle nous avait rapporté à chacun un *pops* aux fraises, on n'a pas osé lui reprocher d'avoir mis trop de temps à revenir.

Et, entre nous, des *pops* aux fraises, c'était exactement ce qu'il nous fallait avec la nouvelle qui allait suivre…

– Est-ce que ta mère t'a dit c'est quoi, un zotage ? a vite demandé Max, ne perdant pas de vue la mission.

– Oui. Mais c'est un peu compliqué…

– Compliqué comment ?

La conversation se déroulait entre Max et Coralie. Moi, je restais silencieux. J'essayais d'avoir l'air calme, mais j'avais déjà avalé les trois quarts de mon *pops*.

– Des zotages, a commencé Coralie avec sérieux, c'est comme des gens qui sont prisonniers de quelqu'un qui dit aux autres que s'ils veulent les revoir un jour, il faut donner beaucoup de sous sinon le zotage va rester encore son prisonnier.

– Son prisonnier?

– Oui.

Je rongeais mes deux bâtons de *pops*.

– Je comprends pas tout, a fait Max. Toi, Charles?

– Pareil.

Et Coralie Lafleur a annoncé, cette fois en me regardant:

– Tes parents sont des voleurs de bijoux; pour avoir encore plus de sous, ils ont des zotages.

– Es-tu certaine?

– Les zotages sont sûrement cachés quelque part chez toi.

– Mes parents les cacheraient où? j'ai demandé, la voix tremblante.

– On va fouiller tout votre sous-sol, Charles! a proposé Max.

– Non.

– Hein?

– On arrête la mission... j'ai murmuré.

– On peut pas abandonner, Charles! On vient juste de commencer.

– J'ai trop mal au ventre...

Je suis rentré. Coralie est partie chez Flavie. Et Max a rangé définitivement l'appareil d'espion.

Toute vérité n'est pas bonne à savoir.

11

La vraie vérité

Ce vendredi-là, on a fait une guerre de fusils à eau terrible, dans la cour derrière chez Max. Une journée parfaite. Mais quand je suis rentré chez moi, j'ai vite compris qu'il se passait encore quelque chose d'inhabituel à la maison. D'abord à cause de l'odeur... Celle de la viande qui rôtissait. Remarquez, ce n'était pas le plus étonnant. Mon père avait tondu la pelouse. Même derrière la maison et même le gros talus, sur le côté. Quand j'ai vu ma mère qui sortait une tarte au sucre du four, j'ai sérieusement paniqué. Ce n'était vraiment pas normal, tout ça. Ma mère n'était pas le genre de mère à faire des tartes au sucre pour rien.

J'ai pensé qu'ils avaient réussi le vol du siècle la veille. Peut-être même qu'ils avaient eu beaucoup de sous avec les otages. J'étais résigné, mes parents étaient des bandits. Et quand j'ai entendu la sirène des policiers qui circulaient dans le quartier, je savais qu'ils venaient chercher mes parents pour les mettre derrière les barreaux. C'était la fin de l'aventure. J'avais passé presque six belles années avec mes parents, j'avais été chanceux de les avoir connus et d'avoir vécu de bons moments avec eux. On se reverrait à leur sortie de prison...

Encore aujourd'hui, lorsque j'entends une sirène, j'ai toujours une petite crainte de voir débarquer les policiers chez nous, même si cet après-midi-là, les agents sont passés tout droit, finalement.

Mes parents fêtaient!

Mon père a fait sauter le bouchon d'une bouteille de champagne, qui a volé sur l'étagère et qui a fait tomber une petite assiette de collection qui s'est fracassée par terre. Et personne n'avait l'air de trouver que c'était dommage pour la petite assiette. C'est vous dire…

– Pas de répit pour les bandits! a lancé mon père en levant sa coupe.

– Pas de répit pour les bandits! a répété ma mère en faisant tinter la sienne sur mon verre de limonade grenadine.

Et j'ai fait tchin tchin aux bandits, moi aussi.

– Quand je pense qu'on a terminé! a annoncé mon père.

Et ma mère a précisé en me regardant:

– On a travaillé très fort, ton père et moi, Charlou...

– Vous avez travaillé?

– Maintenant, on va prendre des vacances!

– Très méritées! a renchéri mon père.

Je leur ai quand même dit bravo parce qu'ils avaient vraiment l'air fiers d'eux. Et on est passés à table.

Je ne sais pas si c'est pareil pour tous les fils de bandits, mais moi, je ne me sentais pas bien du tout. Mes parents fêtaient le cambriolage du siècle, mais il y avait un petit quelque chose qui m'empêchait d'être parfaitement heureux. L'idée du cambriolage du siècle, sans doute.

Je n'avais pas faim.

Il faut dire que le souper n'était pas vraiment réussi. La viande était dure comme de la brique, la sauce goûtait le vieux poisson cru, la tarte au sucre a fini à la poubelle. Ma mère manquait de pratique en cuisine. J'ai proposé qu'on décongèle quelques croquettes. Ils ont approuvé l'idée.

– On va t'inviter à la grande première, Charles! m'a soudain annoncé mon père.

– C'est quoi, une grande première?

– La toute première fois où l'on présente un film.

– Ah. Quel film on ira voir?

– *Pas de répit pour les bandits*, Charles! Voyons! Notre film! On a remis le scénario aujourd'hui!

Et ils m'ont expliqué.

Depuis plus de deux ans, tous les jours, tous les soirs et même parfois la nuit, mes parents écrivaient une histoire qu'on allait voir un jour au cinéma.

– Une histoire de voleurs ? j'ai demandé.

– Entre autres, oui.

– C'est pas vous, les voleurs ?

– Quoi ?

Je suis sorti en courant. J'en connaissais deux qui seraient étonnés d'entendre la nouvelle.

– Un vrai film ? a répété Max, vivement impressionné.

– Ouais, avec des voleurs et des zotages. Mais ça va être super drôle, y paraît.

– C'est quoi, le titre ?

– Me souviens pas.

– Ça se peut même pas, des parents qui font un vrai film-eee…

– Oui, ça se peut, Coralie.

– Non, c'est à Hollywood qu'on fait les vrais films. Ma mère me l'a déjà dit parce que moi, j'aime ça beaucoup, le cinéma.

Max me posait des tonnes de questions, sur le film et l'histoire du film et sur mes parents et sur leur métier. Et moi, j'étais plutôt fier. Coralie Lafleur se tournait les couettes et restait silencieuse. Je pensais que ça ne l'intéressait pas du tout mais, avant de partir, elle a demandé :

– Je vais-tu pouvoir aller voir le film de bandits au cinéma avec vous ?

– On verra, a répondu Max. Hein, Charles ?

Mais moi, j'ai dit à Coralie Lafleur qu'elle pourrait venir avec nous, pas de problème. Que c'est certain que je l'inviterais.

Quand on est heureux, c'est normal d'être gentil.

Épilogue

Coralie Lafleur n'a pas pu assister à la grande première du film *Pas de répit pour les bandits*. Elle est déménagée un peu avant la fin de l'année scolaire suivante et on l'a perdue de vue. Ses parents, qui vendaient des maisons, ont décidé d'en acheter deux, finalement. Une pour son père et une pour sa mère. Une aubaine qu'ils ne pouvaient pas laisser passer, paraît-il. Coralie a pleuré beaucoup quand elle a quitté le quartier. Le fait d'avoir deux maisons ne l'emballait pas du tout. Et ça ne m'emballait pas non plus de la voir partir. Ce que je n'ai jamais avoué. À personne.

Je parle à Max tous les jours sur Internet. Si tout va bien, je vais passer une partie de mes vacances chez lui cette année. Il habite Moncton, maintenant. Le monde est moins petit quand on grandit. C'est la vie.

Les viandes rôties de ma mère ne sont toujours pas terribles. Les tartes non plus. Et cette année, j'ai décroché le contrat pour tondre la pelouse. Mes parents ne partent toujours pas travailler avec un sandwich et un jus de légumes dans un sac à lunch le matin. Ils écrivent des histoires. C'est comme ça.

Hier après-midi, j'ai fait une drôle de rencontre. Juste au coin de ma rue. Même avec la musique de mon iPod à plein régime, j'ai entendu hurler :

– CHAAAARLES !

C'était Coralie Lafleur. Exactement la même, en version dix ans plus tard, sans les couettes mais toujours avec l'odeur de gomme aux cerises.

– La dernière fois que je t'ai vu, t'avais tes petites roues sur ton vélo!

– T'exagères un peu.

– Qu'est-ce que tu fais de beau, Charles?

Mêmes yeux. Même voix. Même assurance qu'avant.

– Bof.

Même malaise de ma part.

– Est-ce que Max habite encore ici?

Elle pointait la maison de mon meilleur ami.

– Il habite Moncton depuis un mois.

– Oh.

Puis elle a souri.

Même sourire qu'avant, aussi.

On s'est assis sur les marches de l'escalier devant chez nous et on s'est rappelé des tonnes de souvenirs. La plupart de ceux que je vous ai racontés, en fait. Et Coralie Lafleur m'a invité à souper. Chez elle. Jeudi.

– Tu habites où, maintenant?

Ses parents, qui vendent toujours des maisons, ont décidé d'en acheter une seule, finalement. À quatre rues de chez moi. Une occasion qu'ils ne pouvaient pas laisser passer, paraît-il...

J'ai réfléchi un peu pour l'invitation à souper. Mais pas longtemps.

– C'est moi qui vais cuisiner! a précisé Coralie.

– Tu cuisines, toi?

– J'ai juste une spécialité...

Et elle a ajouté en souriant:

– J'espère que t'aimes encore le macaroni à rien.

MOT DE L'AUTEURE

Un soir, mon fils Antoine, qui n'avait que cinq ans à l'époque, nous avait confié qu'à l'école, on  lui avait demandé de parler de ses parents. De ce qu'ils faisaient dans la vie. Il nous avait présentés ainsi : «Mon père fait des films (ce qui était vrai), mon frère fait des BD (ce qui était vrai aussi) et ma mère fait des... mots croisés!» «Des quoi?!» j'ai demandé.

Il avait bien dit des mots croisés.

À l'époque, j'enseignais à la maternelle et je travaillais sur trois romans jeunesse. Autour de la table, on a bien ri, ce soir-là. Je suis donc partie de cette petite anecdote pour écrire *Mes parents sont gentils mais tellement... paresseux!*

www.mesparentssontgentilsmais.ca

Mes parents sont gentils mais...

ILLUSTRATRICE : MAY ROUSSEAU

Série Brad

Auteure : Johanne Mercier
Illustrateur : Christian Daigle

1. Le génie de la potiche
2. Le génie fait des vagues
3. Le génie perd la boule
4. Le génie fait la bamboula
5. L'affaire Poncho del Pancha

www.legeniebrad.ca

Le Trio rigolo

AUTEURS ET PERSONNAGES :

JOHANNE MERCIER – LAURENCE
REYNALD CANTIN – YO
HÉLÈNE VACHON – DAPHNÉ

·ILLUSTRATRICE : MAY ROUSSEAU

www.triorigolo.ca

Recyclé
Contribue à l'utilisation responsable
des ressources forestières
www.fsc.org Cert no. SGS-COC-003153
© 1996 Forest Stewardship Council

Marquis imprimeur inc.

Québec, Canada
2010

Imprimé sur du papier Silva Enviro 100% postconsommation
traité sans chlore, accrédité Éco-Logo et fait à partir de biogaz.

certifié   procédé   100 % post-   archives   énergie
            sans   consommation   permanentes biogaz
            chlore